Utilisant les ressources du Museum of Modern Art de New York, Philip Yenawine, ancien directeur du département d'éducation, initie les jeunes à l'art en leur montrant qu'une œuvre peut susciter diverses interprétations et surtout en les encourageant à observer l'art dans le monde qui les entoure.

Ce livre aborde les œuvres à travers les formes, des formes facilement identifiables et réalistes, formes géométriques ou abstraites.

À la fin de l'ouvrage, des commentaires sur le contexte et la technique utilisée permettront aux adultes d'approfondir l'approche de chaque tableau avec les enfants.

Formes

Philip Yenawine

The Museum of Modern Art, New York
Albin Michel Jeunesse

L'édition originale de cet ouvrage a été publiée
en langue anglaise à New York sous le titre *Shapes*
par le Museum of Modern Art, New York et Delacorte Press,
une division de Bantam Doubleday
Dell Publishing Group, avec l'assistance
de la "Eugene and Estelle Ferkauf Foundation";
John et Margot Ernst; David Rockefeller, Jr.;
John et Jodie Eastman; Joan Ganz Cooney;
et le "Astrid Johansen Memorial Gift Fund".

Pour l'édition française :
© 1994, Albin Michel Jeunesse, Paris
Adaptation de Sabine Oulehri
Loi 49-956 du 16 juillet 1949
pour les publications destinées à la jeunesse
Dépôt légal mai 1994
N° d'édition 10 358
ISBN 2 226 05116-3

Imprimé en Italie

Certains tableaux sont uniquement composés de formes.

Georges-Pierre Seurat, *Au Concert européen*

1

Certains artistes peignent les formes des choses qu'ils voient. Nomme les éléments que tu vois dans ce tableau. Combien de groupes de trois trouves-tu ? Peux-tu trouver des formes cachées ?

Paul Gauguin, *Les Trois Petits Chiens*

Les formes peuvent être très simples.

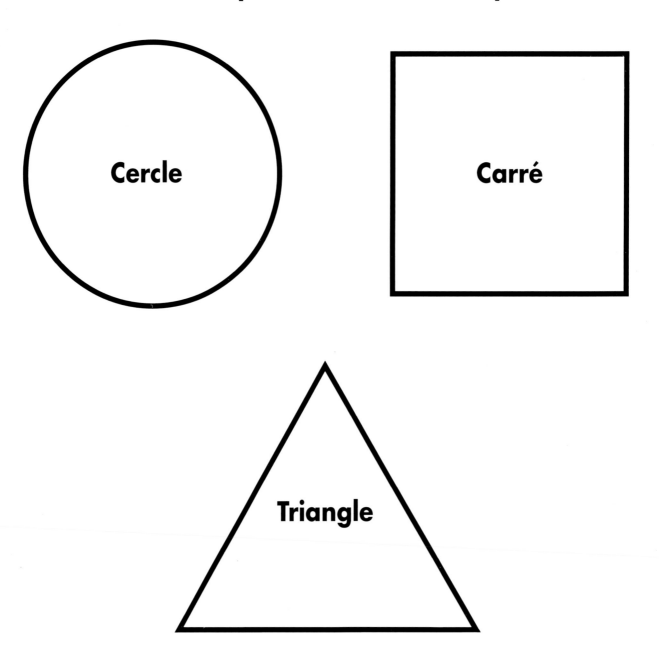

Cercle

Carré

Triangle

Le jeu est de décider de leur emplacement.

Kasimir Malevich, *Composition suprématiste : Cercle*

Kasimir Malevich, *Composition suprématiste : Carrés*

Parfois, les formes sont régulières.

Piet Mondrian, *Composition*

D'autres fois, elles ne le sont pas.

Jean (Hans) Arp, *Arrangement selon les lois du hasard (Collage avec des carrés)*

Voici un tableau composé d'une multitude de minuscules carrés.
Quelles autres formes peux-tu y découvrir ?

Paul Klee, *Jardin d'un château*

**Quelquefois les formes ne ressemblent à rien de précis,
ce qui te permet d'imaginer ce que tu veux.
Que peux-tu imaginer sur celles de ce tableau ?**

David Smith, *Sans titre (Tanktotems)*

Avec quelques lignes, un artiste

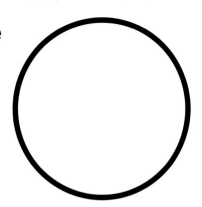

fait une balle à partir d'un cercle.

**Ou une tasse
à partir d'un cylindre.**

10

Voici un tableau qui utilise des balles et des cylindres. Peux-tu les trouver ?

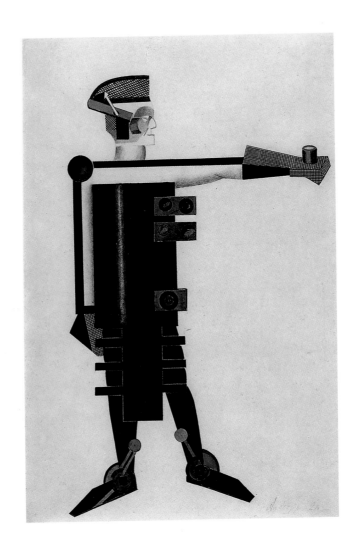

Aleksandra Exter, Costume pour *Le Gardien de l'énergie*

Les artistes peuvent aussi transformer les carrés en boîtes ou en immeubles.

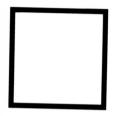 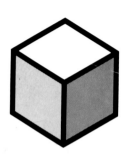 

Un triangle en pyramide ou en toit.

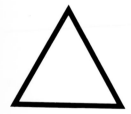 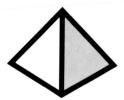 

Peux-tu distinguer dans ce tableau des bâtiments, des toits?

Pablo Picasso, Étude pour *Le Moulin à Horta*

**En mettant des ombres à leur dessin,
les artistes donnent du volume à des formes plates.**

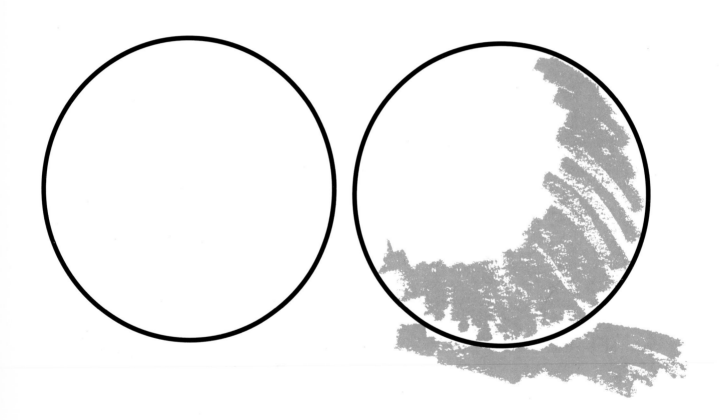

Regarde comment l'artiste a utilisé les ombres pour donner une réalité aux pieds dessinés.

Salvador Dali, Détail de *Études d'un nu*

Ces trois lignes nous aident à nous figurer la forme d'une pièce.

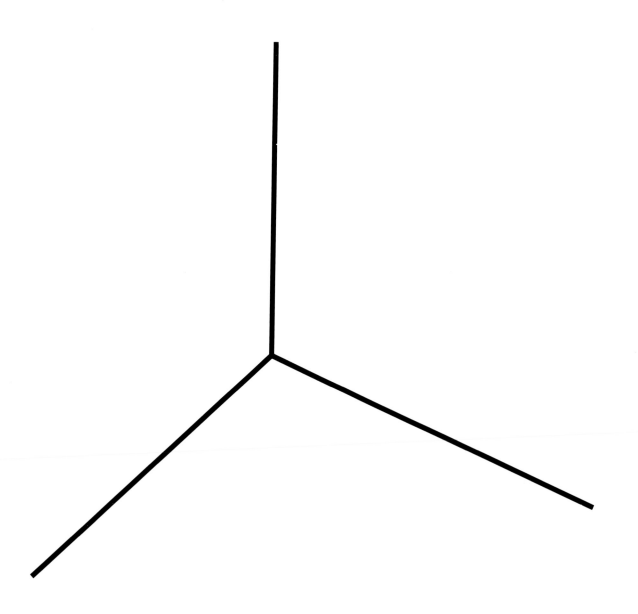

Cet homme semble se tenir dans une pièce avec une fenêtre. Derrière son bras, se trouve une table avec un pichet.

George Grosz, *L'Ingénieur Heartfield*

Peux-tu trouver une coupe dans ce tableau ? Une table ?
Peux-tu nommer les fruits que tu vois ?
Peux-tu distinguer des zones claires et des zones obscures ?

Paul Cézanne, *Nature morte aux pommes*

Peux-tu aussi trouver des cercles, des carrés, des triangles et un cylindre ?

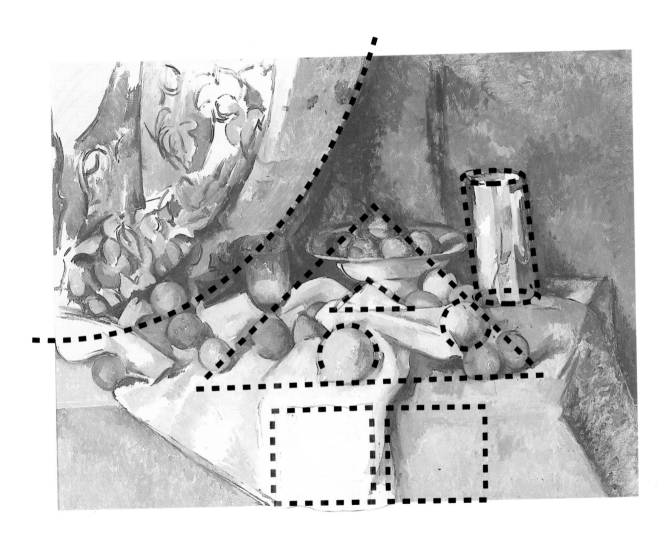

Tu peux passer beaucoup de temps à chercher les formes dans ce tableau :

Des triangles et des cercles,

les formes de masques et de moustaches,

une guitare et des petites mains amusantes,

et d'autres encore.

Peux-tu trouver un chien ?

Pense à sa queue et à son poil.

Pablo Picasso, *Les Trois Musiciens*

Peut-être as-tu envie de faire un dessin
avec des formes que tu inventeras.
Des grandes et des petites.
Des formes réelles et des formes imaginaires
régulières ou irrégulières
ou des formes avec des ombres.

Les œuvres présentées dans cet ouvrage sont exposées au Museum of Modern Art de New York.

Il existe beaucoup de musées et de galeries que tu peux visiter et qui possèdent aussi des tableaux intéressants. Tu peux également regarder des magazines, des livres, des bâtiments, des parcs et des jardins.

Page 1

Georges-Pierre Seurat
Au Concert européen, 1887-1888
Crayon Conté, craie et gouache sur papier, 31,1 x 23,9 cm
Collection Lillie P. Bliss

Seurat a peint des formes sans les délimiter par un trait, démontrant ainsi que les lignes dont se sert la création artistique n'existent pas dans la nature.

Page 3

Paul Gauguin
Les Trois Petits Chiens, 1888
Huile sur bois
91,8 x 62,6 cm
Fonds Mme Simon Guggenheim

Les tableaux de Gauguin nous intriguent souvent par leur aspect un peu mystérieux. Ici, la perspective est étrange et la combinaison d'objets illogique.

Page 5

Kasimir Malevich
Composition suprématiste : Cercle, 1915
Crayon sur papier, 47 x 36,5 cm

Malevich pensait que les idéaux sociaux pouvaient être exprimés par l'art. Par exemple, des formes géométriques simples disposées de différentes manières peuvent figurer les relations entre des unités individuelles et un tout.

Page 5

Kasimir Malevich
Composition suprématiste : Carrés, 1915
Crayon sur papier
50,2 x 35,8 cm

Page 6

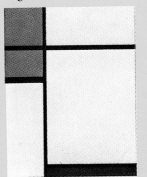

Piet Mondrian
Composition, 1933
Huile sur toile, 41,2 x 33,3 cm
Collection Sidney et Harriet Janis

Pour Mondrian, disposer et redisposer des éléments très simples - lignes noires et rectangles blancs, rouges, bleus ou jaunes - est une manière de créer des tableaux qui atteignent des harmonies idéales.

Page 7

Jean (Hans) Arp
Arrangement selon les lois du hasard (Collage avec des carrés), 1916-1917
Papiers déchirés et collés sur papier, 48,6 x 34,6 cm
Achat

Ayant laissé tomber des carrés de papier, Arp a observé leur disposition et l'a ensuite reproduite dans son tableau.

Page 8

Paul Klee
Jardin d'un château, 1931
Huile sur toile
67,2 x 54,9 cm
Fonds de la collection
Sidney et Harriet Janis

Klee s'est inspiré des formes de la mosaïque pour peindre cette image. Un enfant peut l'imiter en utilisant du papier millimétré.

Page 9

David Smith
Sans titre (Tanktotems), 1953
Brosse et encre de Chine et gouache sur papier
75,6 x 107,5 cm
Don d'Alexis Gregory

Smith est célèbre surtout pour ses formes sculpturales abstraites dont de nombreuses, comme celles de ce tableau, semblent référer à la nature.

Page 11

Aleksandra Exter
Costume pour *Le Gardien de l'énergie*, 1924
Plume, encre, gouache et crayon sur papier
51,1 x 36 cm
Fonds de J. M. Kaplan, Inc.

Exter a créé une armure à l'allure industrielle pour symboliser, à travers l'autorité des chevaliers, la puissance des sources d'énergie d'aujourd'hui.

Page 13

Pablo Picasso
Etude pour *Le Moulin à Horta*, 1909
Aquarelle sur papier
24,8 x 38,2 cm
Collection Joan et Lester Avnet

L'un des aspects du Cubisme chez Picasso est la simplification des formes trouvées dans la nature, réduites à de simples formes géométriques.

Page 15

Salvador Dali
Etudes d'un nu, 1935
Crayon sur papier
17,5 x 14 cm
Legs de James Thrall Soby

Pour Dali, explorer les mystères au-delà des évidences l'amène à créer des illusions extrêmement vraisemblables.

Page 17

George Grosz
L'Ingénieur Heartfield, 1920
Aquarelle et carte postale collée sur papier
41,9 x 30,5 cm
Don de A. Conger Goodyear

L'espace de cette pièce qui ressemble à une cellule intensifie la féroce détermination exprimée par le visage et la posture du personnage.

Page 18

Paul Cézanne
Nature morte aux pommes, 1895-1898
Huile sur toile, 68,6 x 92,7 cm
Collection Lillie P. Bliss

Cézanne considérait la peinture non comme un moyen de représenter la nature, mais comme un ensemble de problèmes visuels, importants en eux-mêmes. Il mettait, par exemple, l'accent sur le caractère plat de la toile pour créer des représentations spatiales ambiguës.

Page 21

Pablo Picasso
Les Trois Musiciens, 1921
Huile sur toile
200,7 x 222,9 cm
Fonds Mme Simon Guggenheim

D'autres aspects du Cubisme incluent l'aplatissement de l'espace et des formes ainsi que l'emploi d'une gamme réduite de couleurs.